ANIMAUX DES TERRES HUMIDES

Chelsea Donalc

Texte français de Marie-J

Éditions Scholastic

Crédits pour les illustrations et les photos
Couverture, p. i (bordure), p. iii (bordure) : W. Lynch/Ivy Images; pp. i, 12, 14, 16-17, 26 : Thomas Kitchin et Victoria Hurst; p. iv (carte) : Hothouse Canada; pp. iv-1 : gracieuseté de National Oceanic and Atmospheric Administration Central Library Photo Collection; pp. 2-3 : Leonard Lee Rue/maxximages.com; pp. 4, 27, 29, 30, 31, 33, 34, 38, 40 : © Dwight Kuhn; p. 5 : Hemera/maxximages.com; p. 6 : Peter Weimann/maxximages.com; pp. 8, 13, 15, 24, 37, 39, 41, 43 : Bill Ivy; p. 9 : Alan et Sandy Carey/Ivy Images; p. 11 : Superstock/maxximages.com; p. 18 : Mark Hunt/maxximages.com; pp. 19, 21 : W. Lankinen/ Ivy Images; p. 20 : Rich Reid/maxximages.com; p. 22 : Dick Hemingway Editorial Photographs; p. 23 : © 1988 S. Nielsen/DRK Photo; p. 25 : © 1996 S. Nielsen/DRK Photo; p. 36 : © Lang Elliott/NatureSound Studio, www.naturesound.com; p. 42 : Oliver Meckes/Nicole Ottawa/Photo Researchers, Inc/Firstlight.ca; p. 44 (toutes) : U.S. Fish & Wildlife Service.

Produit par Focus Strategic Communications Inc.
Gestion et édition du projet : Adrianna Edwards
Conception graphique et mise en pages : Lisa Platt
Recherche pour les photos : Elizabeth Kelly

Un merci tout particulier à Bill Freedman de l'Université Dalhousie pour son expertise.

Catalogage avant publication de Bibliothèque et Archives Canada
Donaldson, Chelsea, 1959-
Animaux des terres humides / Chelsea Donaldson; texte français de Marie-Josée Brière.
(Canada vu de près)
Traduction de : Canada's Wetland Animals.
ISBN 0-439-95676-5
Faune des zones humides—Canada—Ouvrages pour la jeunesse.
I. Brière, Marie-Josée II. Titre. III. Collection.
QL113.8.D6514 2006 j591.768'0971 C2005-904490-X

Édition publiée par les Éditions Scholastic, 175 Hillmount Road, Markham (Ontario) L6C 1Z7.

6 5 4 3 2 1 Imprimé au Canada 06 07 08 09

TABLE DES MATIÈRES

Les terres humides du Canada

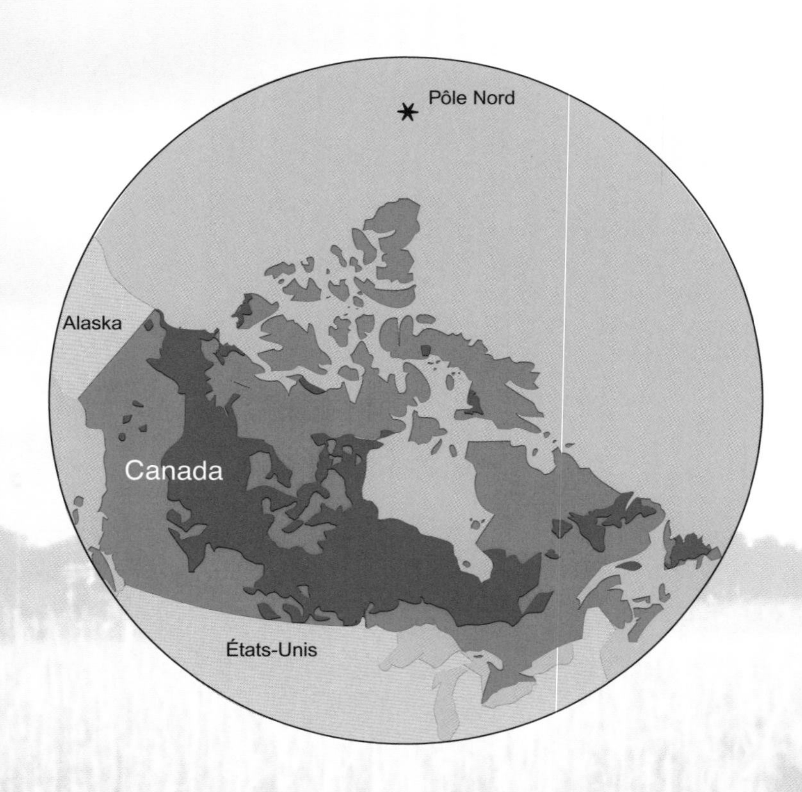

Terres humides du Canada

Canada

États-Unis

Bienvenue dans les terres humides!

Le Canada possède 25 % des terres humides du monde. Il y en a d'un bout à l'autre du pays. Grandes ou petites, elles sont toutes très importantes pour l'environnement.

Les terres humides sont un mélange de terre et d'eau. Elles sont généralement boueuses et peuvent être inondées à longueur d'année ou quelques mois par an. Les différents types de terres humides qu'on trouve au Canada sont les marais, les marécages, les tourbières et les fens.

Souvent gorgées d'eau, vaseuses et pleines d'insectes, les terres humides du Canada ne sont pas vraiment habitables. Mais elles sont débordantes d'activité! Une foule de plantes et d'animaux y vivent. Allons en découvrir quelques espèces.

CHAPITRE 1

Le castor

Les castors ne se contentent pas de vivre dans les terres humides. En construisant des barrages sur les ruisseaux, ils contribuent parfois à les créer!

Le barrage de castors ressemble à un mur de branches, de boue et d'herbe. Quand il est assez haut, l'eau ne peut pas passer. Il se crée donc un étang profond dans lequel le castor peut construire sa maison.

Après quelque temps, des plantes propres aux milieux humides commencent à pousser autour de l'étang.
D'autres créatures qui aiment, elles aussi, ces milieux viennent ensuite s'y installer.
C'est ainsi que naît une nouvelle terre humide.

Les castors sont d'excellents bâtisseurs. En plus des barrages, ils construisent leurs maisons, qu'on appelle des « huttes ». Les castors se servent de leurs incisives coupantes pour abattre des arbres, dont ils traînent les branches et les brindilles au bord de l'eau. Ils érigent des murs et les enduisent d'herbe et de boue pour les consolider. Ils recouvrent ensuite le tout d'un toit bombé.

De l’extérieur, la hutte ressemble à une pile de branches arrondie. Toutes les entrées sont cachées sous l’eau. Mais l’intérieur recèle une pièce confortable et sèche, assez grande pour toute la famille.

Le mâle et la femelle restent généralement ensemble toute leur vie. Chaque printemps, trois ou quatre bébés naissent dans la hutte. Les jeunes peuvent rester avec leurs parents jusqu’à l’âge de deux ans. En grandissant, ils aident à s’occuper de leurs frères et sœurs plus petits. Ils forment une belle grande famille!

Le castor a le corps bien adapté à la vie dans les terres humides. Il a les pattes arrière palmées et une large queue plate qui l'aide à nager. Des rabats spéciaux empêchent l'eau de pénétrer dans ses oreilles, son nez et sa bouche. Il peut nager jusqu'à 15 minutes sous l'eau! Son épaisse fourrure le protège du froid, même pendant l'hiver le plus glacial.

La queue du castor a aussi d'autres usages. Elle lui permet de garder son équilibre quand il ronge ou traîne des arbres. Et, quand il flaire le danger, il frappe l'eau avec sa queue pour avertir sa famille.

CHAPITRE 2

La loutre de rivière

As-tu déjà descendu une glissade d'eau?
C'est très amusant, n'est-ce pas?

Les loutres de rivière aussi aiment les glissades.
Elles s'en fabriquent souvent sur les berges.
Elles passent des heures à glisser dans l'eau.
Elles adorent jouer.

Les loutres aiment aussi manger. Heureusement, ce sont de très bonnes chasseuses. Elles se nourrissent généralement de poissons, mais elles attrapent aussi des insectes, des grenouilles et des petits mammifères comme les rats musqués.

Il leur arrive même d'attraper des oiseaux aquatiques. Quand l'un d'eux vient se poser à la surface, elles s'approchent silencieusement sous l'eau et s'en emparent par en dessous.

Les loutres sont parfaitement à l'aise dans l'eau. Une couche de bulles d'air emprisonnées dans leur fourrure les aide à flotter, exactement comme un gilet de sauvetage.

Elles peuvent même dormir et manger en flottant sur le dos. Aucun autre mammifère terrestre ne peut flotter, nager et plonger aussi bien qu'elles.

Les loutres s'installent souvent dans des huttes de castors abandonnées, d'anciens terriers de rats musqués ou des bûches creuses près des rivières. Au printemps, un, deux, trois ou même quatre petits y naissent.

Les bébés loutres ont une grosse tête, une queue mince et une fourrure épaisse pour se garder au chaud. Ils naissent aveugles et ne voient rien pendant environ un mois. Mais dès qu'ils ont les yeux ouverts, ou presque, ils sont prêts à nager, à jouer et à explorer.

CHAPITRE 3

L'orignal

L'orignal ne peut pas survivre en dehors des terres humides. L'été, il passe la majeure partie de son temps dans l'eau, pour se nourrir et se garder au frais. Il raffole des plantes et des arbres qui poussent dans l'eau et aux alentours.

C'est aussi un moyen de se protéger des loups et des ours. Grâce à ses longues jambes, il peut se tenir debout dans une eau assez profonde. Mais ses ennemis, eux, doivent nager.

Les orignaux sont d'énormes créatures. Ce sont les plus gros animaux terrestres au Canada. Le mâle peut peser autant que six hommes adultes. Et, avec sa ramure, il est encore plus impressionnant!

L'hiver venu, le mâle perd sa ramure, qui repousse chaque printemps. Il arrive qu'un côté tombe avant l'autre. L'orignal doit alors se promener la tête de travers!

La plupart du temps, l'orignal mène une vie tranquille et solitaire... sauf pendant quelques semaines à l'automne. C'est à ce moment-là qu'il se cherche une compagne. La saison des amours s'appelle le « rut ». Pendant le rut, on a déjà vu des orignaux mâles attaquer des gens, des voitures et même des trains!

Pour attirer une femelle, le mâle établit sa domination sur une partie de la forêt et chasse les mâles plus petits de son territoire. Si un intrus refuse de s'en aller, les deux mâles se battent à coups de ramure.
Il arrive que leurs ramures s'emmêlent.
Si les mâles n'arrivent pas à se dégager, ils meurent tous les deux.

Les petits faons restent avec leur mère à peu près un an. Mais environ la moitié d'entre eux meurent avant leur premier anniversaire, le plus souvent dévorés par des ours ou des loups. D'autres meurent de faim pendant le long hiver.

Il ne faut jamais se placer entre une mère et son petit. La mère ne prendra pas le temps de te demander si tu es là en ami; elle va foncer sur toi. Et, comme un orignal adulte court très vite, c'est une excellente idée de rester à distance!

CHAPITRE 4

Le grand héron

Les oiseaux aussi aiment les terres humides du Canada. Les plantes qui y poussent leur offrent un refuge sûr pour bâtir leur nid. Et les nombreux insectes, mammifères et poissons qui y vivent leur fournissent une nourriture abondante.

Les hérons, en particulier, affectionnent les terres humides. Il en existe plusieurs espèces, mais le plus gros est le grand héron. Cet oiseau au long bec fait à peu près un mètre de haut. Avec ses pattes interminables, on dirait qu'il marche sur des échasses. Les plumes de son dos, de ses ailes et de son abdomen sont d'un bleu grisâtre, et il a une tache bleu foncé sur les épaules.

Combien de temps peux-tu te tenir sur une jambe? Le grand héron, lui, peut rester ainsi en équilibre pendant des heures. Il peut même dormir dans cette position. Il se bloque un genou et ramène son autre patte sous son ventre.

Les genoux du héron s'articulent dans le sens contraire des nôtres. Quand un héron s'agenouille, ses pieds sont donc devant lui, et non derrière!

Le héron est un
excellent pêcheur.
Parfaitement immobile
au bord de l'eau,
il attend que les poissons
passent près de lui. Quand
il en attrape un avec son long
bec, il le fait sauter jusqu'à ce
que le poisson soit placé
dans le même sens que son
bec, puis il le laisse glisser
– tout rond! – tête première
dans sa gorge.

Il arrive que les hérons s'approchent des
pêcheurs pour quêter un repas gratuit.
Mais la plupart du temps, ils préfèrent
pêcher eux-mêmes.

Au moment de la nidification, les hérons ont une vie sociale plus active que d'habitude. En fait, des dizaines ou même des centaines d'entre eux peuvent nicher ensemble en colonie. Les deux parents construisent un nid dans un arbre. Ils couvent les œufs à tour de rôle et, quand ceux-ci sont éclos, ils se partagent la tâche de trouver de la nourriture pour les petits héronneaux.

Si jamais tu vois une colonie de hérons, reste à distance. Les hérons délaissent souvent leur nid si des gens s'approchent trop. Et alors, les petits meurent.

CHAPITRE 5

Le huard

Si tu te trouves près d'un lac un soir d'été, écoute bien. Tu entendras peut-être une espèce de rire fou. Ou peut-être une douce plainte mélancolique. C'est le huard qui produit ces deux sons étranges.

Tu entendras probablement le huard avant de le distinguer, puisqu'il évite le plus possible de se faire voir. Il se cache parfois des humains et des autres prédateurs en s'immergeant en partie dans l'eau. Seuls sa tête et son bec dépassent.

Mais les huards sont très visibles quand ils prennent leur envol ou qu'ils se posent sur l'eau. Ils ont besoin de prendre de la vitesse avant de décoller. Ils doivent donc courir à la surface de l'eau, en battant des ailes jusqu'à ce qu'ils aillent assez vite pour s'envoler.

Quand ils se posent, les huards touchent l'eau à très haute vitesse. Ils font donc des éclaboussures avec leurs pattes, exactement comme quelqu'un qui ferait du ski nautique.

Les couples de huards restent souvent ensemble pour la vie. Le mâle et la femelle construisent le nid ensemble et couvent les œufs à tour de rôle jusqu'à ce qu'ils éclosent.

Après la naissance des petits, les parents s'appliquent tous les deux à les nourrir. Même si les petits savent nager dès leur naissance, ils grimpent souvent sur le dos de leur mère ou de leur père. C'est tellement plus facile!

CHAPITRE 6

Le canard colvert

As-tu déjà vu des canards nager dans un étang, au parc? Ce sont des canards apprivoisés. Ils ont l'habitude de voir des gens.

Mais il y a aussi des canards sauvages, qui vivent loin des humains. On en trouve beaucoup dans les terres humides du Canada. Ils aiment, en effet, les lacs, les rivières, les étangs et les marais.

Le canard colvert est un des canards les plus courants au Canada.

Il est facile de distinguer le mâle colvert de la femelle. Le mâle a un magnifique bec jaune, la tête verte et un anneau blanc autour du cou. On dirait une cravate! Ces couleurs vives l'aident à attirer les femelles.

La femelle est beaucoup moins voyante. Ses plumes d'un brun terne se confondent avec les herbes et les roseaux qui bordent les plans d'eau. Elle ne veut pas attirer l'attention lorsqu'elle couve ses œufs.

Si tu observes un colvert assez longtemps, tu le verras soudain plonger la tête dans l'eau, la queue en l'air. On dirait qu'il fait le poirier sous l'eau!

On dit alors qu'il barbote. Les colverts plongent ainsi pour aller chercher des plantes qui poussent sous l'eau. Leur bec est fait de telle sorte que l'eau s'écoule de chaque côté pendant qu'ils arrachent leur nourriture.

Comme les colverts n'ont pas de dents, ils ne peuvent pas mâcher. Ils avalent donc du sable et du gravier qui leur permettent de moudre leurs aliments.

Les nids des colverts doivent être bien dissimulés. Les ratons laveurs, les corneilles, les mouffettes et les belettes raffolent, en effet, des œufs de cane. Les herbes et les roseaux des terres humides fournissent une cachette idéale.

À peine les œufs ont-ils éclos que la mère amène les canetons à l'eau. Un par un, ils sautent dans l'eau, et ils se mettent à nager tout de suite!

CHAPITRE 7

La tortue hargneuse

Quel est l'animal qui n'a pas de dents, mais dont la morsure est quand même dangereuse? Celui-là même qui vit dans l'eau, mais qui ne nage pratiquement pas : la tortue hargneuse!

C'est la plus grosse tortue terrestre au Canada. Sa carapace peut atteindre à peu près la taille du filet d'une raquette de tennis.

C'est aussi l'une des créatures les plus anciennes de la planète. Ses ancêtres sont apparus sur Terre environ 75 millions d'années avant les dinosaures!

Les tortues hargneuses, qu'on appelle aussi tortues-alligators, passent la majeure partie de leur existence en eau peu profonde. Elles sont tellement lourdes qu'elles ont du mal à nager. Elles marchent donc au fond des lacs, des étangs et des ruisseaux où elles vivent.

L'hiver, elles disparaissent au fond et creusent un trou dans la vase pour hiberner. Elles s'endorment, et elles peuvent rester sans respirer pendant six mois!

Comme la plupart des tortues, la tortue hargneuse a une carapace en deux parties. La partie dure, sur le dessus, porte le nom de « dossière », et la plus molle, en dessous, s'appelle le « plastron ».

La plupart des tortues rentrent dans leur carapace pour se protéger. Les tortues hargneuses en sont incapables parce que leur plastron est trop petit pour contenir leurs pattes et leur tête. En revanche, elles peuvent courir beaucoup plus vite parce que leurs pattes ont plus d'espace pour bouger.

Alors, que fait la tortue hargneuse pour se défendre? Elle mord, comme un alligator! Elle n'a pas de dents, mais son bec acéré comme une lame de rasoir peut facilement t'agripper un doigt. Une fois sa mâchoire refermée, il est parfois très difficile de la faire lâcher prise. Elle peut même t'arracher le doigt!

L’été, les tortues hargneuses sortent de l’eau pour s’accoupler. La femelle creuse un trou et y pond jusqu’à 30 œufs. Elle le recouvre de terre et retourne à l’eau, sans jamais revenir au nid.

Les œufs sont parfois mangés par d’autres animaux, par exemple des renards ou des mouffettes. Lors de l’éclosion, des petites tortues, pas plus grosses qu’une pièce de 25 cents, sortent et courent vers l’eau aussi vite que leurs petites pattes le leur permettent. Mais ce n’est pas encore assez vite pour la plupart d’entre elles. Beaucoup sont attrapées par des oiseaux ou d’autres animaux affamés. La vie n’est pas facile pour une petite tortue hargneuse!

CHAPITRE 8

L'écrevisse

Les écrevisses sont des créatures étranges. Elles ont deux antennes courtes et deux plus longues. Leurs yeux, semblables à de petites billes noires, sont posés à l'extrémité de courtes tiges qui bougent dans toutes les directions. Elles ont aussi deux pinces, huit pattes, une queue en éventail et une carapace dure.

Les écrevisses vivent dans les eaux peu profondes des lacs, des étangs, des rivières, des ruisseaux et des marécages, et parfois même dans les champs inondés.

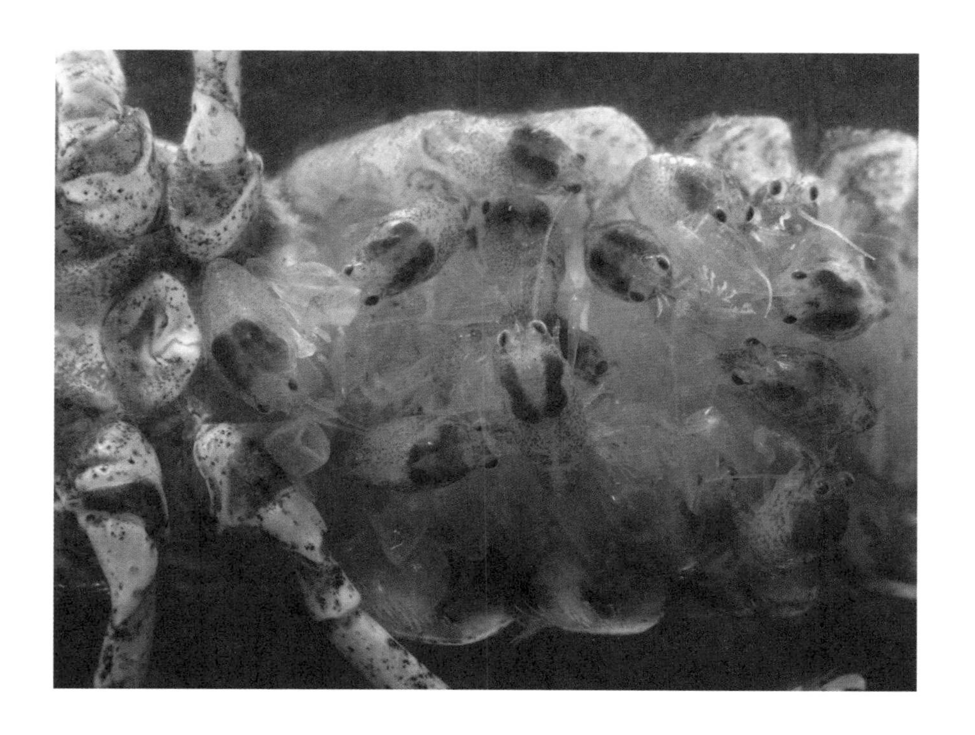

La femelle colle ses œufs en grappe sous son abdomen. On dirait de petites framboises noires. Lorsqu'elle porte ainsi ses œufs, on dit qu'elle est grainée.

Quand les œufs éclosent, les petits restent attachés à la mère un certain temps, jusqu'à ce qu'ils soient assez gros pour survivre seuls.

Combien de centimètres as-tu pris depuis un an? Tu grandis probablement tout le temps. Heureusement, ta peau grandit en même temps que toi. Et tout ce que tu as à faire, c'est de porter des vêtements plus grands.

Mais c'est un peu différent pour les jeunes écrevisses. Même si elles grandissent, leur carapace reste toujours de la même taille. Elles doivent donc abandonner leur vieille carapace après quelques semaines et attendre qu'une nouvelle carapace durcisse. C'est ce qu'on appelle la « mue ». Même adultes, les écrevisses doivent muer de temps en temps.

Les écrevisses mangent un peu de tout : des plantes, des petits poissons, des vers et même d'autres écrevisses. Certaines espèces contribuent à la propreté des lacs et des rivières en se nourrissant des restes d'animaux morts.

Pour échapper à leurs prédateurs, les écrevisses se sauvent ou agitent leurs pinces. Elles peuvent nager à reculons en remuant l'abdomen comme une grosse nageoire. Et quand cela ne fonctionne pas, elles ont aussi un autre truc : si un animal les attrape par une patte, elles la coupent, tout simplement, pour pouvoir s'enfuir. Très bientôt, la patte amputée va repousser!

CHAPITRE 9

Le ouaouaron

Le ouaouaron est un des prédateurs que les écrevisses cherchent à éviter. À nos yeux, il n'a pas l'air très menaçant. Mais pour beaucoup de petites créatures des terres humides, c'est un voisin terriblement inquiétant! Il se nourrit de tout ce qu'il peut se mettre dans la bouche. Il peut avaler tout rond des insectes, d'autres grenouilles... et même un caneton nouvellement éclos.

Les ouaouarons sont les plus grosses grenouilles au Canada. Ils peuvent atteindre 20 cm de longueur. Et ils peuvent sauter près de dix fois cette distance. Imagine si tu pouvais sauter dix fois ta propre longueur!

Les ouaouarons fréquentent les terres humides surtout parce que les plantes aquatiques qui y poussent créent des secteurs d'eau calme. C'est là que les femelles aiment pondre leurs œufs.

Les ouaouarons s'accouplent au printemps ou au début de l'été. Si tu passes près d'un étang ou d'un marais en cette saison, tu entendras les mâles chanter en chœur. Ils produisent un coassement profond, un peu comme quand tu souffles dans un grand bocal.

Ils appellent ainsi les femelles ouaouarons et avertissent les autres mâles de rester hors de leur territoire.

Les femelles pondent jusqu'à 20 000 œufs, qui flottent à la surface de l'eau. En quatre jours environ, les œufs éclosent. Les petits portent le nom de « têtards ».

Les minuscules têtards ne ressemblent pas du tout aux ouaouarons adultes. Ils ont une grosse tête et une longue queue, mais pas de pattes. Il leur faudra environ trois ans avant de prendre leur forme d'adultes. Jusque-là, ils devront éviter toutes sortes de prédateurs... y compris les autres ouaouarons! Seuls quelques-uns d'entre eux atteindront l'âge adulte.

CHAPITRE 10

La libellule

Les libellules sont parmi les plus habiles des insectes volants. Comme bien des oiseaux, elles peuvent avancer et reculer, faire du surplace, et s'arrêter et repartir très rapidement. Elles peuvent même se nourrir en vol. Comme elles raffolent des moustiques, ce sont des créatures très utiles!

Les libellules sont très jolies dans les airs. Au soleil, leur long corps et leurs ailes diaphanes semblent contenir de petits arcs-en-ciel de couleurs. Mais savais-tu que ces championnes des acrobaties aériennes passent presque toute leur vie sous l'eau, sous forme d'insectes ternes, bruns et sans ailes?

En effet, les libellules naissent sous l'eau et peuvent y rester jusqu'à trois ans. À cette étape de leur cycle de vie, elles portent le nom de « nymphes ».

Les nymphes ont des branchies, comme les poissons, pour pouvoir respirer sous l'eau. Elles ont une carapace dure qu'elles abandonnent périodiquement, à mesure qu'elles grandissent, comme les écrevisses.

Avec le temps, leurs yeux grossissent et leurs ailes commencent à se former.

Puis, une nuit, la nymphe grimpe sur la tige d'une plante. Elle quitte son monde aquatique pour entrer dans un univers d'air et de lumière. Sa carapace se brise bientôt, et une nouvelle créature en sort en se tortillant. À l'aube, la libellule est prête à essayer ses magnifiques ailes pour la première fois.

Malheureusement, l'existence de la libellule est alors presque finie. Elle ne vit à l'air libre qu'à peu près six semaines. Pendant ce temps, elle s'accouple avec une autre libellule. La femelle pond ses œufs dans l'eau, et le cycle recommence.

CHAPITRE 11

La sangsue

Aimes-tu les vers de terre? Les regardes-tu parfois ramper sur le sol? Et savais-tu que les vers de terre avaient des cousins? Ce sont les sangsues.

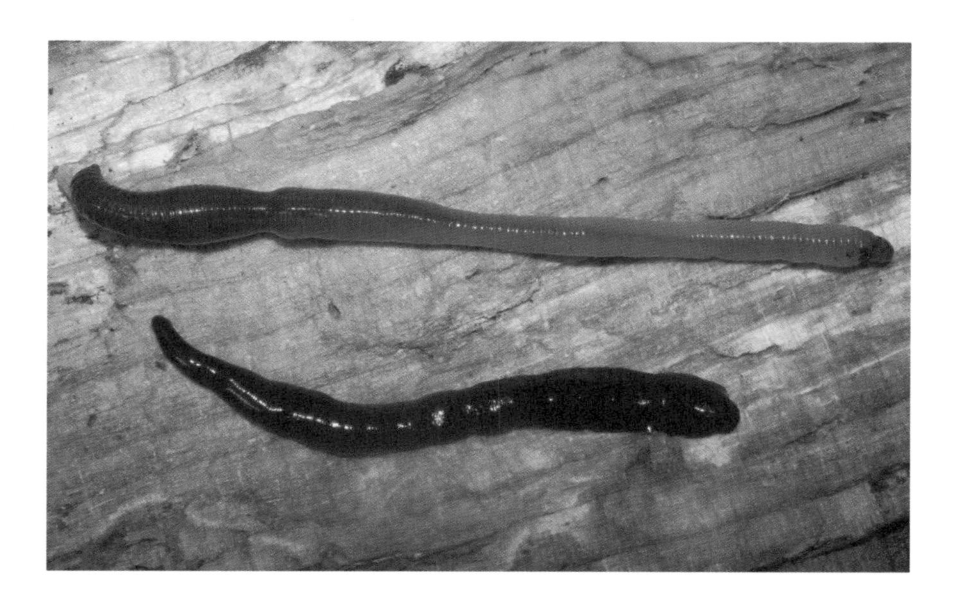

Sur certains points, les sangsues ressemblent beaucoup aux vers de terre. Elles ont un long corps mou, sans pattes. Mais il y a aussi des différences importantes entre les deux.

D'abord, les sangsues vivent généralement dans l'eau, et non sous terre. De plus, contrairement aux vers de terre, elles ont des ventouses autour de la bouche et de la queue.

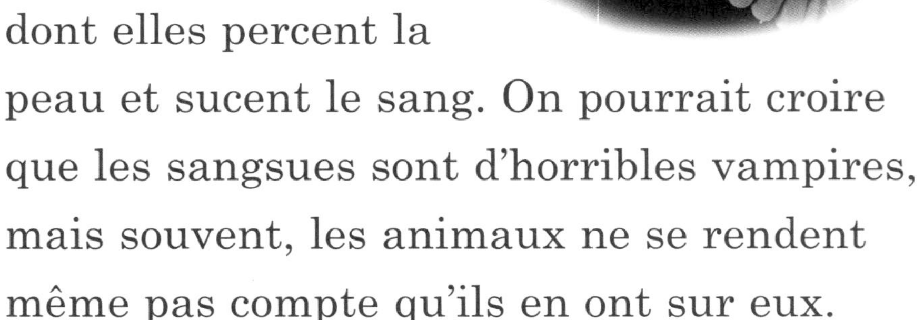

Certaines se servent de ces ventouses pour se coller sur des poissons ou d'autres animaux, dont elles percent la peau et sucent le sang. On pourrait croire que les sangsues sont d'horribles vampires, mais souvent, les animaux ne se rendent même pas compte qu'ils en ont sur eux.

En se nourrissant, les sangsues grossissent... grossissent... grossissent! Quand elles sont enfin rassasiées, elles se détachent et se remettent à nager.

Les sangsues peuvent même se coller à la peau des humains. Si jamais tu en trouves une sur toi en sortant de l'eau, pas de panique! Tu n'as qu'à la saupoudrer d'un peu de sel et elle se détachera.

Mais savais-tu que les sangsues peuvent être très utiles? Si quelqu'un perd un doigt ou un orteil, les médecins sont parfois capables de le lui recoudre. Mais il arrive que le sang afflue en trop grande quantité dans la blessure. Les sangsues peuvent alors sucer une partie du sang et aider ainsi la blessure à guérir!

On croyait autrefois que les terres humides du Canada ne servaient à rien. Nous savons maintenant qu'elles sont importantes et que nous devons chercher à les protéger. Elles retiennent l'eau quand il ne pleut pas assez. Elles permettent aussi de purifier les eaux polluées. Et, bien sûr, elles abritent toutes sortes de créatures fascinantes.

Les terres humides du Canada sont de vraies merveilles!